m
byw , a yn
grêt

MAIR WYNN HUGHES

DREF WEN

Llun clawr gan Moira Chesmur

Cyhoeddwyd gan Wasg y Dref Wen,
28 Ffordd yr Eglwys,
Yr Eglwys Newydd, Caerdydd CF14 2EA
Ffôn 029 20617860

Argraffwyd ym Mhrydain.

Hwrê! Rydw i wedi cael job dydd Sadwrn! Yn siop ddillad Cresta yn y dre.

Mi fydd gen i arian yn fy mhoced, ac efallai, meddai'r rheolwraig, y bydd siawns am job ran-amser pan adawa i'r ysgol mis nesa. Os bydda i'n plesio.

Dydi job siop ddillad ddim yr hyn fuaswn i wedi'i ddewis. Ond mi fydd unrhyw beth yn well na bod ar y clwt. Ac er fy mod i wedi gobeithio y buaswn i'n seren ddisglair ym myd y teledu ryw ddiwrnod, rhaid imi wynebu ffeithiau. Does gen i affliw o dalent at ddim.

"Tasat ti'n ymarfer d'ymennydd gystal â dy dafod, mi fuaset ar dy ffordd i'r chweched dosbarth a choleg," meddai Mam yn flin.

A hynny am imi ddadlau'n gry bod mwg sigarét yn ddigon i roi cancr i rai sy'n byw yn yr un tŷ, heb sôn am y rhai sy'n mynnu ysmygu. Nid bod neb yn ein tŷ ni am wrando. Mae Mam a Dad a Glenda'n ychwanegu cannoedd at elw'r cwmnïau baco. Ond mae Victor ar dir diogel ... byth yn cyffwrdd â'r stwff.

"Mae mwg baco'n lladd," meddwn i.

Ond claddu'i drwyn yn y dudalen rasio ddaru Dad pan godais fy llais er mwyn gwneud yn siŵr ei fod yn derbyn y neges. A chario 'mlaen i roi farnais ar ei hewinedd ddaru Glenda.

"Ga i fenthyg dy farnais erbyn dydd Sadwrn?" holais yn obeithiol.

Wedi'r cwbl, mae eisio bod yn ddeniadol a del i weithio mewn siop ddillad, does? Dyna bwysleisiodd y rheolwraig.

Ac mi roedd ei hewinedd hi'n goch gwaedlyd … ac yn hir hefyd! Ond wrth gwrs, wnaiff fy rhai i byth dyfu tra ydw i'n eu cnoi nhw bob cyfle ga i.

"Paid ti â mentro edrych arno fo, heb sôn am ei ddefnyddio," bygythiodd Glenda.

Wn i ddim pam mae'n rhaid i chwiorydd hŷn fod yn gymaint o boen i rywun.

Cha i ddim benthyca blows na theits na dim. Tasen nhw'n aur pur fuasai 'na ddim mwy o waharddiad.

"Pryna dy betha dy hun," meddai hi'n surbwch. "A chadw dy ddwylo oddi ar fy mhetha i."

Wel, mi wna i, yn gwna? Wedi imi ddechrau gweithio.

Roedd bore Sadwrn 'run fath â chychwyn i briodi. Wel, am wn i. Dydw i ddim wedi cael y profiad hwnnw eto. Ond roeddwn i'n rhedeg yma ac acw, yn llyncu tamaid o dôst, a sipian coffi bob yn ail â rhoi crib trwy 'ngwallt, nes roedd Mam yn lloerig.

"Stedda i lawr a gwna un peth ar y tro," meddai hi'n gas.

Dydi hi ddim ar ei gorau rai boreuau. Yn enwedig wedi bod allan yn y Travellers Arms hefo Dad, a mynd draw at ffrindiau am ddiod bach cyffyrddus wedyn. Ac roedd dipyn o gur yn ei phen ganddi y bore 'ma. Dydi hi'n meddwl dim am roi esiampl dda i'w phlant.

"Mi golla i'r bws," dolefais wrth weld bysedd y cloc yn carlamu tuag at hanner awr wedi wyth.

A finnau heb ddechrau rhoi colur ar fy wyneb! Tybiais y buasai'n well imi wneud gan 'mod i'n un o weithwyr y wlad yma rŵan.

"Tasat titha'n codi o dy wely 'run fath â Glenda a Victor, fuasai 'na ddim angen rhuthro," meddai Mam.

Waeth imi heb â chwyno. Doedd dim cydymdeimlad i'w gael. Felly mi roddais glep ar y drws a rhedeg fel peth gwirion am safle'r bws rhag ofn imi gael fy niswyddo cyn dechrau. A chael a chael gefais i gyrraedd y siop am chwarter i naw.

"Mae'n dda gen i'ch gweld chi yma mewn pryd," meddai Miss Thomas. "Mi gewch sefyll wrth y drws y bore 'ma, Jan, a gwylio rhag ofn i rywun ddwyn rhywbeth."

Mi edrychais arni'n anghrediniol. Y fi'n sefyll wrth y drws a gwylio lladron! Roeddwn i'n dychmygu haid ohonyn nhw'n bachu llond eu breichiau ac yn anelu'n un giang beryglus amdana i, a finnau'n ymladd i gau'r drws i'w carcharu nes cyrhaeddai'r heddlu.

"Ond be wna i os gwela i rywun?" holais yn syn.

"Rhoi arwydd i un ohonon ni, wrth gwrs," meddai hi.

"Sut fath o arwydd?" holais.

"Unrhyw arwydd," meddai hi. "Codi llaw, nodio … unrhyw beth."

Roedd fy nghalon yn fy ngwddf wrth i mi anelu am safle wrth y drws.

"Hidia befo," meddai un o'r genethod eraill. "Mi fydd tair ohonon ni ar lawr y siop."

"Ia … ond fyddwch chi'n ddigon agos i helpu?" holais yn anghysurus.

Gwenu ddaru hi a dechrau twtio'r dillad ar y stand.

Mi feddyliais ar y dechrau mai gwaith hawdd fuasai jest sefyll a sbio ar bobl. Ond cyn pen hanner awr, roedd fy nghoesau fel jeli anystwyth a 'mhengliniau wedi heneiddio can mlynedd mewn chwinciad.

Mi ddaeth cwsmer neu ddwy i mewn ac mi gadwais i lygaid barcud arnyn nhw. Ond roedden nhw'n ddigon diniwed. Wnaethon nhw ddim ond bodio'r dillad yma ac acw ac anelu'n ddigon diflas allan wedyn.

Wel, os oedden nhw'n ddiflas, mi roeddwn i'n llawer gwaeth. Mi edrychais ar y cloc a methu coelio fy llygaid. Dim ond hanner awr oedd wedi mynd heibio! Sut oeddwn i am dreulio awr arall yn sefyll yn f'unfan?

"Heia, Jan!" meddai llais o'r tu ôl imi.

Geraint drws nesa!

"Be wyt ti'i eisio?" meddwn i'n gas.

"Dim ond dweud helô," meddai yntau.

"Helô, a ta-ta," meddwn i. "Does gen i ddim amser i siarad. Rydw i'n gweithio!"

"Be? Yn sefyll yn fan'na?" holodd.

"Scat!" meddwn i yn fy llais awdurdodol gora. Fel'na bydda i'n bygwth cath drws nesaf!

Fedra i ddim dioddef Geraint. Mae o fel ci bach wrth fy sodlau o hyd, ac yn swnian am imi fynd allan hefo fo. Ond dydw i ddim eisio mynd allan hefo swot! Yn enwedig swot hefo pimpls!

"Chwarae teg," dywedodd Mam. "Does gan neb help am

bimpls. Mi fydd gen ti ambell un dy hun weithiau."

"Ia ... ond nid byddin orffwyll ohonyn nhw," meddwn i.

Ond rydw i'n cydymdeimlo. Does neb eisio byw hefo pimpls. Ond tydi cydymdeimlo ddim yn golygu fod rhaid i mi ei gael o'n gariad chwaith. Ddim a finna wedi breuddwydio am fod ym mreichiau Tecs. Ond waeth imi heb. Dydi hwnnw ddim yn ymwybodol 'mod i'n fyw ac yn iach ar y ddaear 'ma.

Rydw i jest â thaflu fy hun wrth ei draed a gweiddi "Cymra fi. Yn dy freichiau rwy'n mynnu bod." Efallai y buasai fo'n sylweddoli 'mod i'n ei garu o wedyn. Ond does gen i mo'r hyder i wneud y ffasiwn beth. Rhag ofn iddo ladd ei hun yn chwerthin. Neu'n waeth byth ... camu drosta i heb sylwi arna i!

Lladd eu hunain yn chwerthin ddaru Mari a Wendy hefyd.

"Rwyt ti off dy ben yn ffansïo hwnna," meddai Mari. "Y pen mawr ei hun."

"Ond sbia golygus ydi o – gwallt melyn a llygaid glas a thatŵs ar ei freichiau cyhyrog. Rêl hync!"

"A dim yn ei benglog," meddai Wendy.

Dyna ydi'r drwg pan mae ganddoch chi ddwy ffrind beniog. Rhai sy'n anelu am goleg a chwrs gradd. Maen nhw wrth eu bodd yn pregethu!

"Cer o'ma," hisiais wrth Geraint gan gadw un llygad i gyfeiriad Miss Thomas. "Cyn iddi hi dy weld di."

"Hi?" holodd hwnnw'n ddiniwed.

"Miss Thomas ... y ffŵl!"

"Ddoi di allan ... "

"Na wna."

" ... heno?"

"Yli ... sawl gwaith mae eisio ... "

"Jan!"

Llais Miss Thomas. Mi ladda i Geraint os ca i y sac!

"Cychwyn hi," meddwn i rhwng fy nannedd.

"Ewch am goffi," meddai hi yn reit wên-deg. "Chwarter awr yn unig, cofiwch."

Diolch byth am seibiant, ochneidiais, wrth ollwng fy mhen-ôl i lawr ar y gadair.

Ac oni bai bod gen i benderfyniad cryf, mi faswn i wedi derbyn sigarét gan un o'r genethod eraill pan gynigiodd hi. Help bach i ymdopi hefo'r diwrnod, meddai hi. Ond rydw i'n bendant gryf yn erbyn ysmygu!

Mi gyrhaeddais adre wedi ymlâdd. Mi roddais fy mhen rownd drws y lolfa. Roedd Mam a Dad yn gwylio pêl-droed ar y teledu.

"Rydw i'n mynd i socian fy nhraed," meddwn i gan anelu am y stafell molchi.

"Mae Glenda yn y bath," galwodd Mam ar fy ôl.

Ochneidio ddaru mi. Rydw i'n gwybod sut fath mae Glenda'n ei gael. Awr neu fwy! Yn enwedig ar nosweithiau pan mae hi'n cyfarfod Gwyn! Y cariad ydi hwnnw. Roli-poli o ddyn hefo Audi newydd a watsh aur yn hongian am ei arddwrn. Ac arogl *after-shave* yn gwmwl ar ei ôl! Ond mae Glenda'n dwlu arno fo. Ac yn cyd-weld â phob gair ddywedith o hefyd. "Ia, Gwyn. Wrth gwrs, Gwyn," fel petai o'r oracl mwya fuo erioed. Ond efallai y bydd yn haws cael bath yn y tŷ 'ma os priodith hi. Ac mi rydw i'n ffansïo bod yn forwyn briodas!

Mi ddringais i fyny'r grisiau er bod pob cam yn mynd at fy nghalon i.

"Faint wyt ti am fod?" holais gan ddobio'r drws.

"Newydd ddechrau," meddai hi.

Doedd waeth imi fynd i lawr y grisiau ddim, a gwneud coffi i mi fy hun. Pawb drosto'i hun ydi hi ar nos Sadwrn yn ein tŷ ni. Mam a Dad yn mynd am bryd o fwyd i'r dafarn, a phawb arall yma ac acw.

Newydd eistedd oeddwn i pan ddaeth Victor i mewn.

"Coffi?" meddai hwnnw.

"Yn y jar," meddwn i.

Dydw i ddim am fod yn forwyn fach i frawd na chwaer.

"Gwna fygiad imi'r gwael," meddai. "Mae 'nwylo i'n olew i gyd."

"A dy ddillad di hefyd," meddwn i'n feirniadol gan grychu fy nhrwyn. "Wn i ddim pam na wnei di adael yr oferôls 'na yn y garej cyn dŵad adre."

"Mae angen eu golchi nhw," meddai Victor.

"Hen bryd iti gael gwraig," meddwn i gan freudd-wydio'n braf am dŷ hanner gwag. Dim brawd na chwaer, dim ond y fi … a Mam a Dad wrth gwrs!

"Sut ddiwrnod gefaist ti?" holodd Victor wedi tynnu'i oferôl ac eistedd wrth fwrdd y gegin.

"Hen bryd i rywun ofyn," meddwn i. "Does gan neb arall ddiddordeb."

Hen foi iawn ydi Victor. Brawd iawn hefyd. Mae o'n dal ac yn drwsgl, ac yn colli'i wallt ar ei gorun. A dydi o'n meddwl am ddim byd ond am beiriannau ceir a beiciau modur. Wrth ei fodd yn eu tynnu nhw'n ddarnau a'u rhoi nhw'n ôl at ei gilydd. A does 'na ddim sôn am gariad!

"Wyt ti'n mynd allan heno?" holais, yn gwybod yr ateb cyn gofyn.

Ysgwyd ei ben ddaru fo.

"Na ... Tecs yn dŵad â'i gar i'w drin."

"Ar nos Sadwrn?" holais.

Roedd fy nghalon yn fy llwnc. Tecs yn dŵad yma! A hynny ar nos Sadwrn! Dim cariad felly, nac oedd, a chyfle i Jan Roberts dynnu'i sylw. Mi groesais fy mysedd, a taswn i wedi medru cyrraedd bodia fy nhraed, mi fuaswn i wedi croesi'r rheiny hefyd.

"Ei adael o yma imi gael golwg arno fo," eglurodd Victor gan chwalu fy ngobeithion yn deilchion.

"O," meddwn i'n benisel.

"Ia," meddai Victor heb sylwi dim.

O wel, roeddwn inna'n mynd allan hefyd. Hefo Mari a Wendy i'r dre ac ymlaen i'r clwb pobl ifanc wedyn. Ond roedd yfed Coke a dawnsio'n ymddangos yn ofnadwy o ddiflas a finnau'n dyheu am gwmni cyffrous Tecs.

"Wedi gorffen!" gwaeddodd Glenda o'r landin.

Mi neidiais oddi ar y gadair a'i gwadnu hi i fyny'r grisiau. Roeddwn i'n meddwl am Tecs yn cyrraedd hefo'i gar a finna'n barod i fynd allan. Pwy a wyddai?

Efallai y buasai o'n sylwi arna i o ddifri o'r diwedd.

Wedi cael bath, mi foddais fy hun yn y persawr hwnnw gefais i gan Wendy ar fy mhen-blwydd. Roeddwn i mewn dipyn o benbleth ynglŷn â beth i'w wisgo.

Ond penderfynu ar drowsus a thop lliwgar ddaru mi. Ac er 'mod i'n brolio tipyn arnaf fy hun, mae gen i ben-ôl digon siapus mewn trowsus. Ac efallai y cymerith Tecs dipyn o sylw ond iddo gael cip arno fo!

Mi ruthrais i lawr y grisiau pan glywais sŵn y car. Roedd Victor wedi agor drws y garej yn barod, ac mi glywn eu lleisiau'n trafod beth oedd yn bod ar y car.

Wel, hefo brawd fel Victor, rydw i wedi dysgu peidio mynd ar draws sgwrs peiriannau. Felly hofran ar lwybr yr ardd ddaru mi, nes daeth y ddau allan.

"O … helô," meddai Tecs heb prin edrych arna i. "Ac mi fedri di orffen erbyn bore fory," meddai wrth Victor. "Rali'n cychwyn am ddeg."

"Medra siŵr," atebodd Victor yn berffaith fodlon wrth feddwl am dreulio oriau pleserus yng nghrombil y peiriant.

Roeddwn i'n symud o un droed i'r llall heb wybod p'run ai mynd 'ta aros oedd orau imi. Yna fe arhosodd car wrth y giât ffrynt.

"Tacsi," eglurodd Tecs. "Wela i di."

Fedrai o ddim mynd am y giât a finna'n sefyll fel adyn ar y llwybr. Felly mi gerddais i'n reit ddeniadol o'i flaen a cheisio gwneud yn siŵr ei fod o'n cael llond llygaid o ben-ôl siapus wrth fy nilyn.

"Mynd allan heno?" holodd.

"Ydw," meddwn i.

Tybed oedd o am ofyn imi fynd hefo fo?

"Eisio lifft?" holodd yn reit ddidaro.

Fe wasgwyd yr anadl o f'ysgyfaint.

"Plîs," atebais, mewn llais gwichlyd braidd.

"Tyrd 'ta," meddai yr un mor ddidaro, gan agor drws y tacsi.

Roedd Geraint yng ngardd y tŷ drws nesa. Ond doedd gen i lygaid i neb ond Tecs.

Dyma'r tro cynta imi fod ar fy mhen fy hun hefo fo. Rŵan amdani, Jan, meddwn i wrthyf fy hun. Dyma dy gyfle di!

"Dre'n iawn?" holodd Tecs.

Nodio ddaru mi a symud dipyn bach nes ato ar y sedd ôl. Roedd fy nghorff yn boeth ac yn oer bob yn ail.

"Faint ydi d'oed di?" holodd Tecs.

"Dwy ar bymtheg," meddwn i heb flewyn ar fy nhafod.

Waeth dweud celwydd mawr na chelwydd bach ddim. Yn enwedig mewn achos da.

"Rargian fawr … wyt ti?" holodd.

Ac am eiliad, roedd ei lygaid yn sefydlog ar fy mronnau. Mi fedrwn deimlo'r gwrid yn dringo i fy wyneb. Wyddwn i ddim ai gwrid cywilydd y celwydd, 'ta gwrid teimlad ei lygaid oedd o. Oedd ganddo fo ddiddordeb?

Ond troi at y ffenest yn ddigon didaro ddaru o. A chyn imi fedru llyncu fy nigalondid bron, roedd y tacsi'n aros ar y sgwâr a ninnau'n dringo allan ohono.

"Hwyl iti," meddai gan gychwyn am Dafarn y Gloch.

"Hwyl," meddwn inna mewn llais bach, bach.

Cyrhaeddodd Mari a Wendy ar ras.

"Tecs oedd hwnna?" holodd y ddwy.

"Ia," meddwn i.

"Be oeddet ti'n ei wneud mewn tacsi hefo fo?"

"Cael lifft."

Doedd eglurhad byr felly ddim yn ddigon gan y ddwy.

"O ble?"

"Pam?"

Waeth ichi fwrw'ch bol yn syth bin hefo ffrindiau ddim.

"Mae Victor yn trin ei gar o erbyn fory. Mi gynigiodd Tecs lifft imi i'r dre."

"Wel am ddigywilydd," meddai Mari.

"Be? Rhoi lifft?" holais yn syn.

"Naci siŵr. Disgwyl i Victor druan drin ei gar o ar nos Sadwrn. Hunanol ydi peth fel'na. Be tasa Victor eisio mynd allan fel pawb arall?"

Mi neidiais i amddiffyn Tecs yn syth.

"Dydi Victor byth yn mynd allan, yn nac ydi. Mae Tecs yn gwybod hynny."

"Wel … mae gen i biti dros Victor. Pobl yn cymryd mantais ohono," meddai Wendy.

Mi fu jest imi â chael ffrae go iawn. Wrth gwrs, doedd Tecs ddim yn hunanol. Victor gynigiodd, siŵr o fod. Ond roedd yna ran fechan ohona i'n cyd-weld hefo Mari a Wendy hefyd, er y buasai angen ffortiwn i wneud imi gyfaddef.

"Awn ni i McDonald's?" awgrymodd Mari.

"Ia," meddwn i, yn falch o gael anghofio am y ddadl.

Ond pan mae Mari wedi dechrau ar bwnc, mae hi fel ci hefo asgwrn.

"Mae Victor yn hogyn neis," meddai hi. "Barod ei gymwynas bob amser. Ond mae pobol yn manteisio arno fo."

"Ond dydi Victor byth yn mynd allan," meddwn i. "Mae o wrth ei fodd yn trin peiriannau, tydi?"

"Wel ... rydw i'n cynnig ein bod ni'n gwneud rhyw-beth," meddai Mari. "Cael cariad iddo fo."

Mi sefais yn stond.

"Cer o'ma," meddwn i. "Does gynno fo ddim diddordeb mewn merched."

Fedrwn i ddim peidio â gwenu wrth feddwl am Victor hefo cariad. Mi fuasai'n rhaid iddi fod â diddordeb dwfn mewn peiriannau!

Mi ddioddefais wythnosau diwethaf yr ysgol orau gallwn i. Ond roedd yn hwyr glas gen i ffarwelio â'r lle.

"Biti," meddai Mari.

"Ia," meddwn inna, gan drio swnio fel taswn i'n ei feddwl o.

"Mi fyddwn ni yn y chweched dosbarth, a titha'n gweithio."

Os cymerith Miss Thomas fi. Tydi hi ddim wedi dweud dim eto. Ond rydw i'n dechrau dŵad i arfer yn y siop, a hefo'r genethod eraill hefyd. A tydi Miss Thomas ddim yn ddrwg i gyd. Mae hi'n medru gwenu weithiau!

"Ia," meddai Wendy. "Biti nad wyt ti eisio mynd i'r chweched dosbarth ac i'r coleg."

A dyna'r tro cyntaf imi ddechrau teimlo'n unig. Tybed a ddeuai'n cyfeillgarwch ni i ben? Tair hefo'n gilydd fuon ni erioed. Y fi a Mari a Wendy. A rŵan … wyddwn i ddim.

"Ond mi welwn ni'n gilydd yn aml," meddwn i'n wantan braidd.

"Wrth gwrs," cytunodd y ddwy.

Ond doedd yna ddim llawer o argyhoeddiad yn yr "wrth gwrs" chwaith. Neu felly roeddwn i'n teimlo.

Ffarwél i'r ysgol am byth. Rydw i wedi cael fy nhraed yn rhydd! Ac mae Miss Thomas wedi cynnig job imi. Dim ond deuddeg awr yr wythnos, ond mae hynny'n well na dim.

"Does 'na neb wedi llaesu dwylo yn y tŷ 'ma erioed," meddai Dad pan gyrhaeddais adre hefo'r newydd. "Gobeithio y cei di job amser llawn yn fuan."

"Ond Dad, maen nhw'n anodd eu cael," meddwn i. "Rydw i'n lwcus o gael hon."

Digon hawdd iddo fo siarad. Mae o'n gweithio ar safleoedd adeiladu, yn friciwr da meddai pawb, a bosys yn teithio milltiroedd i'w gyflogi.

"Cofia y bydd yn rhaid iti roi arian i dy fam," meddai. "At dy gadw."

Cau fy ngheg ddaru mi. Roeddwn i'n gwybod bod

Victor a Glenda'n rhoi arian cadw i Mam. Ond roedden nhw'n cael cyflogau iawn, doedden? Ond os ydi Dad yn deddfu, waeth heb â dadlau.

"Iawn," meddwn i'n reit wylaidd.

"Cyn belled â dy fod ti'n dallt," meddai yntau hefo hanner gwên.

Fel petai o'n gwybod fy nheimladau i'r dim.

Rydw i'n hen law ar y job siop erbyn hyn. Rydw i'n trefnu'r raciau, yn ailblygu dilladau'n ddestlus ar y silffoedd wedi i gwsmeriaid browla trwyddyn nhw ac yn giamstar ar wneud paneidiau te a choffi i enethod y siop. Heblaw 'mod i'n gofalu nad aiff 'run cwsmer â gormod o ddillad hefo hi i'r stafelloedd ffitio.

"Sori. Tri dilledyn yn unig. Rheol y cwmni," fydda i'n ei ddweud yn wên-deg.

Ond golwg digon cas fydd ar rai ohonyn nhw wedi clywed y dyfarniad. Mae cwsmeriaid yn meddwl bod ganddyn nhw hawl i sychu'u traed ynddoch chi weithiau.

Ond dydi Miss Thomas ddim wedi mentro fy rhoi ar y til eto.

"Rhaid arfer hefo gwaith y siop i ddechrau, Jan," meddai hi pan welodd fi'n llygadu'r peiriant.

Iawn. Os ca i go arno fo'n fuan, meddyliais. Roeddwn i'n dechrau meddwl y buaswn i'n mwynhau rhedeg siop ryw ddiwrnod, ac yn breuddwydio y buaswn i'n rheolwraig 'mhen blwyddyn neu ddwy. Does eisio dim ond hunan-hyder yn y byd 'ma. Ac mae gen i ddigon o hwnnw. A digon o dafod, meddai Mam!

Mae gen i lot o amser sbâr. Dydi deuddeg awr yr wythnos ddim yn llenwi 'mywyd. A rywsut, mae gwrando ar Mari a Wendy'n poeni am ganlyniadau'r arholiadau yn gwneud imi deimlo'n fflatwadan. Tybed ai camgymeriad oedd gwrthod gweithio yn yr ysgol? Rhy hwyr rŵan, tydi!

Mae Mam wedi cael hanes job ychwanegol imi. Yn y cartref henoed lle mae hi'n gweithio.

"Dwyawr y dydd ydi o," meddai Mam. "Ac mae'r rheolwr yn fodlon i ti weithio i siwtio oriau gwaith y siop."

"Wn i ddim," meddwn i'n ddrwgdybus.

Doedd gen i ddim profiad hefo hen bobl. Doedd gen i 'run taid a nain i ymarfer hefo nhw.

"Cadw cwmpeini iddyn nhw a siarad fydd eisio fwya," meddai Mam. "Ac mi fedri wneud digon o hynny."

"Iawn, 'ta," meddwn i'n reit lugoer.

"Rhaid iti fynd i weld y rheolwr," meddai Mam. "Cael cynnig y job am 'mod i'n gweithio yno rwyt ti. Felly, tria dy ora."

Mwya'r profiad, mwya'r cyfle, meddai Dad pan glywodd o. Ac mae cael mwy nag un cyfweliad yn fonws, meddai wedyn.

Mr Rees oedd y rheolwr. Roedd o'n ddyn digon neis hefyd. Ac mi ddeudodd y buaswn i'n cael dechrau'n syth. Y pnawn hwnnw. Iddo fo a fi cael gweld oedden ni'n licio'r trefniant.

Mi ddychrynais pan es i mewn i'r lolfa. Roedd yna res o

hen bobl yn eistedd yn gwylio'r teledu. Ond roedd pob un ohonyn nhw a'u pennau i lawr ac yn hanner cysgu.

"Ydyn nhw'n sâl ofnadwy?" sibrydais.

"Eisio rhywun i gymryd sylw ohonyn nhw maen nhw," meddai'r rheolwr. "Rhywun all dreulio amser hefo nhw ... yn siarad a chwerthin ... a thynnu coes, efallai."

Roeddwn i bron â gofyn ...

"Fedrwch chi ddim gwneud? Chi ydi'r rheolwr."

Ond mi atebodd fel petai o'n gwybod fy meddyliau.

"Does gan y staff fawr o amser i'w dreulio hefo nhw," meddai. "Staff bychan iawn sy ganddon ni."

Wel, roedd fy nghalon i'n llawn piti. Ond doeddwn i ddim yn gwybod lle i ddechrau. Wrth lwc, fe rowliodd Mam y troli paned i mewn tra oeddwn i mewn cyfyng-gyngor.

"Dos â'r rhain iddyn nhw," meddai hi gan dywallt paneidiau o'r tebot mawr.

Mi fentrais at yr hen ŵr agosaf.

"Paned?" meddwn i.

"Yyy? Be? Lisi?" meddai ac estyn i afael yn dynn yn fy llaw.

"Na ... Jan," meddwn i. "Jan sy'n gweithio yma."

"Mi wyddwn y baset ti'n dŵad, Lisi," meddai. A dyma fo'n gwrthod y te ac yn gwneud ymdrech i godi.

"Mi awn ni adra rŵan," meddai wedyn. "Rydw i wedi pacio."

Mi edrychais i'n dorcalonnus ar Mam.

"Be wna i?" holais yn grynedig braidd.

"Mistar Jones," meddai Mam gan ei helpu'n ôl i'w gadair. "Dydi Lisi ddim yn dŵad heddiw. Jan, fy merch i, ydi hon."

"Ond … " meddai'r hen ŵr ac edrych yn ddryslyd arna i.

Craffodd ar fy wyneb a chliriodd ei lygaid. "Nid Lisi ydi hi. Gwallt coch sy gan hon. Gwallt du sy gan Lisi."

A dyma fo'n gafael yn ei baned a dechrau yfed fel petai dim wedi digwydd.

"Siarada hefo fo," gorchmynnodd Mam gan symud ymlaen hefo'r troli.

"Siarad be?" holais.

"Unrhyw beth," meddai Mam.

Ond doedd dim rhaid imi. Roedd Mistar Jones wedi bywiogi trwyddo wrth gael rhywun yn eistedd wrth ei ochr.

"Llond y lle 'ma o hen bobol, ysti," meddai gan edrych yn feirniadol dros ei gwpan. "Gwneud dim byd ond cysgu a bwyta. Hen bryd gen i fynd o'ma."

"Pa bryd dach chi'n mynd?" holais.

"Pan ddaw Lisi," oedd yr ateb. "Fory."

Biti, meddyliais. Fydd o ddim yma pan ddo i nesa.

"Mae o'n disgwyl Lisi bob dydd," eglurodd Mam wedi inni gyrraedd adre. "Ond mi fuo hi farw y llynedd a does ganddo fo ddim teulu."

Mi es i 'ngwely y noson honno'n benderfynol o sgubareiddio trwy'r cartref fel awel iach. Fyddai 'na neb yn hanner cysgu o flaen y teledu wedi i mi orffen hefo nhw.

Mi fydden nhw'n giang o hen bobl effro … hapus … llawn bywyd!

Dydan ni'n tair ddim yn cael fawr o hwyl wrth chwilio am gariad i Victor.

"Mae Nesta newydd orffen hefo Tudur," meddai Mari a'i dwrn dan ei gên yn feddylgar. "Wyt ti'n meddwl y buasai hi a Victor … ?"

Edrych ar ein gilydd wnaethon ni a dechrau chwerthin. Mi fuasai Victor yn rhedeg milltir cyn cael chwaer Mari'n gariad. Ac mi fuasai Nesta'n rhedeg milltir hefyd – i'r cyfeiriad arall.

"Ond mae pobol cwbl wahanol yn ffansïo'i gilydd weithiau," meddai Wendy rhwng pyliau o chwerthin.

A dyma hi'n cwympo'n ffatan eto wrth feddwl am Victor yn ei oferôl a'i ddwylo'n olew trwchus drostynt yn cofleidio Nesta yn ei cholur a'i siwt smart.

"Dim iws pendroni," meddwn i. "Mae ganddo fo gariad yn barod."

"Be?" holodd y ddwy'n syn. "Pwy? Pam na fuaset ti'n dweud?"

Gwenu'n bryfoclyd ddaru mi.

"PWY?" gwaeddodd y ddwy gan eu hyrddio eu hunain ata i.

"Peiriant car, siŵr iawn," meddwn i.

"FFŴL!"

Roeddwn i'n lleden oddi tanynt ar y gwely a'r ddwy'n pwnio a chosi a bygwth nes 'mod i'n gweiddi "Help!" dros bob man.

"Be 'di'r sŵn 'na?" galwodd Mam o waelod y grisiau.

Roedden ni'n rhy hen i fyhafio fel plant bach rŵan. Felly dringo i lawr y grisiau yn reit sidêt ddaru ni.

Mae Mari a Wendy wedi hen arfer yn ein tŷ ni, a finna yn eu tai hwythau. Mi wnes i goffi cyflym am ein bod ni am fynd lawr i'r dre am awr neu ddwy. Jest cerdded i fyny ac i lawr y stryd a chael gweld pwy oedd yno.

Ond fasa waeth inni fod wedi aros adre ddim. Doedd fawr neb i'w weld, a dim byd cyffrous yn digwydd. Mae bywyd yn medru bod yn ddigon diflas weithiau.

"Heia, Jan," meddai Geraint cyn gynted ag yr es i i'r ardd gefn drannoeth. "Gweithio bore 'ma?"

"Pnawn," meddwn i.

"Ddoi di allan?" medda fo'n syth. "I'r Ganolfan Chwaraeon? I gael gêm o sboncen?"

Wel, rydw i'n credu'n gryf mewn cadw'n heini a bwyta'n iach a phethau felly. Ond dydw i ddim yn credu mewn rhoi gobaith i fachgen a finna heb ronyn o ddiddordeb ynddo fo.

"Prysur," meddwn i'n esgus.

"O ... c'mon, Jan," meddai. "Dwyt ti byth yn dŵad. Reidio beic, 'ta?"

Roedd hi'n fore braf a finna heb lawer i'w wneud. Ac mi fedrwn deimlo fy hun yn gwanychu.

"Wel ... " meddwn i'n dila.

"Diog?" holodd Geraint yn bryfoclyd.

Mi benderfynais yn syth. Doedd neb am gael fy ngalw i'n ddiog, a finna'n gwneud dwy job bron bob dydd.

"Mi ffonia i Mari a Wendy," meddwn i.

"O," meddai'n siomedig.

Cuddio gwên ddaru mi, a throi am y tŷ. Ond siom gefais inna. Doedd 'run o'r ddwy gartre.

Roedd rhyddhad ar wyneb Geraint pan ddywedais wrtho. Mi estynnais fy meic a chychwyn wrth ei ochr i lawr y stryd.

"Am y parc?" holodd. "Coffi yn y Caffi Bach?"

"Ia. Iawn," meddwn i.

Does dim o'i le ar Geraint. Rydw i'n cofio amser pan oedden ni hefo'n gilydd o fore tan nos, a Mam yn taeru mai merch drws nesa oeddwn i, nid ei merch hi. Ond pan oedden ni'n blant bach oedd hynny. Cyn iddo fo gael pimpls!

A maen nhw'n ffyrnig goch heddiw. Yn enwedig wrth iddo chwysu'n reidio beic.

"Wyt ti wedi trio rhywbeth atyn nhw?" holais wrth bedlo.

"At … be?"

"Y pimpls 'na."

Roeddwn i wedi gwneud andros o gamgymeriad wrth sôn amdanyn nhw. Mi aeth ei wyneb yn fflamgoch waeth, ac mi neidiodd oddi ar ei feic yn syth.

"Sgin i ddim help amdanyn nhw," gwaeddodd bron.

"Nac oes siŵr, ond wyt ti wedi trio … "

"Rwyt ti'n meddwl dy fod ti'n gwybod popeth am dy fod

ti'n gweithio."

"Nac ydw i. Ond mae 'na stwff yn y … "

"Dwi ddim eisio gwybod … "

"Ond meddwl oeddwn i … "

"Pen mawr."

"Be? Y fi?" gwylltiais.

"Job ddi-ddim."

"Rydw i'n ennill, dydw?"

"Cyflog mwnci."

"Penci ysgol."

Roeddwn innau'n gweiddi erbyn hyn. Mi roedden ni'n rhythu'n gas ar ein gilydd, bron at daro.

Yna mi neidiodd Geraint ar ei feic a phedlo fel 'randros oddi wrtha i.

"Hei!" galwais. "Be am y coffi?"

"Stwffia fo," oedd ei ateb wrth iddo ddiflannu rownd y gornel.

Sôn am storm o awyr las! Wnes i ddim ond cynnig help. Ac os oedd Geraint yn fodlon ar gael bimpls ffrwydrol ar ei wyneb, ddeuda i 'run gair ymhellach. Bechgyn!

Mi reidiais am adre yn teimlo'n hunangyfiawn. Dyna beth sydd i'w gael am drio helpu, meddyliais. Dim ots gen i.

Roedd hi fel ffair Gaer yn y siop heddiw. Dechrau'r sêl haf! Roedd angen llygaid y tu ôl i'ch pen hefo rhai cwsmeriaid. Roedd y siop yn orlawn, a phawb yn cydio a thynnu a sbio'n gas ar ei gilydd nes 'mod i'n ffitia o chwerthin.

Mi gefais fynd gam yn nes at y til ganol bore. Roedd Miss Thomas yn brysur yn cymryd arian pobl, a neb ganddi i bacio'r pethau a brynwyd i mewn i'r bagiau.

"Cyn gynted â phosib, Jan," meddai hi.

Gwaith caled ydi gweithio mewn siop ddillad, yn enwedig pan mae 'na sêl. Prin ddeng munud gefais i amser paned bore. A phan es i lawr i'r siop wedyn roedd pethau'n waeth nag erioed.

"Codwch y stwff sydd ar lawr, Jan," meddai Miss Thomas gan droi'n ôl am y til. "Does wybod be gollwn ni fel hyn."

A'r eiliad honno, mi welais i ddynes yn stwffio siwmper i'w bag. Mi lyncais boer yn sydyn. Be wnawn i?

"Miss Thomas … " meddwn i.

"Dim rŵan, Jan," meddai hi a'i bysedd yn brysur ar y til.

"Ond mae … "

Chymerodd hi 'run gronyn o sylw. A heb gysidro ymhellach, dyma fi'n rhuthro oddi wrth y cownter a heibio i Jaci, un o'r genethod eraill.

"Mae honna'n dwyn," meddwn wrth ruthro heibio iddi, yn frwdfrydedd i gyd.

"Aros!" rhybuddiodd Jaci.

Ond roeddwn i wedi sgubareiddio heibio iddi heb feddwl eilwaith, a bron â chyrraedd y ddynes. Mi roeddwn am ei harestio yn y fan a'r lle.

Mi welodd y ddynes fi'n dŵad, a dyma hi'n camu'n sgut y tu ôl i stand ac yn rhoi hwyth iddo'n syth amdana i. A chyn imi fedru f'atal fy hun roeddwn i, a'r stand, a'r dillad, a phentwr o siwmperi, yn un pentwr blêr ar lawr y siop a'r ddynes yn ei gwadnu hi am y drws.

"Lleidr!" gwaeddais o ddyfnder y pentwr.

A'r peth nesa deimlais i oedd corff trwm yn disgyn arna i ac yn gafael fel gelen.

"Wedi dy ddal di'r gnawes," meddai llais uwch fy mhen.

Mi gefais fy nhynnu o'r pentwr a chael ysgytwad reit dda gan rhyw horwth o ddyn hanner-pan.

"Aros di i'r heddlu gyrraedd," bygythiodd gan dynhau ei afael ynof i.

Aeth ton o gymeradwyaeth drwy'r cwsmeriaid wrth weld gŵr un ohonyn nhw'n ymddwyn mor ddewr.

"Ddim y fi ... y ddynes 'na," meddwn i'n sbladdar. "Gollyngwch! Mae hi'n dianc!"

"Dim o dy gelwydd di'r gnawes," sgyrnygodd y dyn.

Roeddwn i'n teimlo fel sgyrnygu'n ôl arno fo. Roedd fy nhu mewn yn grynedig reit heblaw fy mod i'n wyllt gacwn. Ac roedd gen i ddwy ben-glin a'r boen yn sboncio arnyn nhw.

Mi gyrhaeddodd Miss Thomas cyn iddi fynd yn rhagor o sbloitsh.

"Jan! Ydach chi'n iawn?" holodd.

Trodd at y dyn.

"Un o weithwyr y siop ydi hi," meddai. "Yn anffodus, mae'r lleidr wedi dianc."

Mi ollyngodd y dyn fi fel petawn i'n grasboeth.

"Ym ... meddwl ... camgymeriad ... " meddai a'i

wyneb yn fflamgoch.

Mi edrychais i'n reit gas arno am eiliad. Y fo a'i gamgymeriad! Mi fuasai rhywun call wedi gweld mai gweithio yn y siop roeddwn i.

"Ewch i'r stafell staff, Jan, i roi trefn arnoch eich hun," gorchmynnodd Miss Thomas. "Mi ga i air hefo chi eto."

Roeddwn i'n disgwyl cymeradwyaeth … gair o longyfarch efallai am fod mor ddewr a sydyn ar fy nhraed, ond llond ceg o'r drefn gefais i.

"Peidiwch byth â rhuthro fel 'na eto, Jan," meddai hi.

"Ond … " meddwn i.

"Dwyn neu beidio, mae taclo rhywun ar eich pen eich hun yn beryglus."

"Ond … "

"Tynnu sylw un ohonon ni sydd eisio," meddai hi'n feirniadol.

Wel, sôn am annheg! On'd oeddwn i wedi trio dweud wrthi, a hithau'n rhy brysur? O hyn ymlaen, fe gaiff lladron y wlad ddŵad i mewn, a mynd allan wedyn hefo llond siop o nwyddau, cyn y buaswn i'n codi bys i'w rhwystro, penderfynais.

"Hidia befo," cysurodd Jaci fi. "Wnaiff y ddynes 'na ddim trio dwyn yma eto. Mae hi'n gwybod y buaset ti'n siŵr o'i hadnabod hi."

Mi syrthiodd fy ngên. Dyna ofnadwy. Taswn i'n taro 'nhrwyn yn y ddynes, fuaswn i ddim yn ei hadnabod hi. Sioc y digwyddiad, siŵr o fod!

Roeddwn i wedi diffygio'n lân erbyn cyrraedd adre.

Roedd Geraint yng ngardd y tŷ drws nesa.

"Heia," meddwn i wrth fynd heibio.

Ond ddywedodd o 'run gair. Wnaeth o ddim hyd yn oed sbio arna i. Wedi llyncu mul. Dim ots gen i.

Roeddwn i wedi socian fy nhraed a rhoi eli ar fy mhengliniau tost a disgyn yn lleden wedyn ar y soffa pan gyrhaeddodd Glenda a Gwyn. Maen nhw am briodi. Yn syth bin.

Mi syrthiodd fy ngên i ychydig ... ac un Mam hefyd. Roedd yr un peth yn mynd trwy'n meddyliau ni. Oedd Glenda'n disgwyl babi? Ond rywsut, wrth sbio ar Gwyn, fedrwn i ddim credu iddo fihafio mor fyrbwyll â hynny.

"Mis nesa," cyhoeddodd Glenda eto. "Wedi cael dyrchafiad, dwyt, Gwyn. Symud i Gaeredin."

Mi drodd ata i.

"Ac mi fyddi ditha'n forwyn briodas, Jan. A Meira, chwaer Gwyn, wrth gwrs."

Wel bydda debyg, meddwn i wrthyf fy hun. Dy unig chwaer. Ac mi rydw i'n ffansïo fy hun mewn ffrog laes a thusw o flodau yn fy llaw. Tybed fydd Tecs yn y briodas? Mi syrthith amdana i'n syth.

Mi ddiflannodd Mam a Glenda i'r gegin i ddechrau trefnu. Gwenu ddaru Dad, a chynnig gwydraid o chwisgi i Gwyn.

"Mi fyddi di 'i angen o, 'machgen i," meddai'n glên. "Chei di na finna ddim datgan barn hefo'r trefniadau 'ma."

Chefais inna fawr o gyfle i ddatgan barn chwaith.

"Lliw piws golau i'r morynion," meddai Glenda. "Mi fydd yn eitha trawiadol hefo gwallt du Meira."

"Piws?" meddwn i a fy llais yn codi'n waedd. "Hefo fy ngwallt coch i?"

"Mae o'n siŵr o weddu iti," meddai Glenda heb gymryd fawr o sylw.

"Os wyt ti'n meddwl 'mod i am wisgo ffrog biws, cer i ganu!" bygythiais.

"Iawn,'ta," meddai Glenda. "Meira fydd yr unig forwyn, felly."

Sut y gallai chwaer hŷn chware tric mor fudr hefo'i chwaer ieuenga? Roedd hi'n frwydr hallt y tu mewn imi. Gwisgo piws 'ta peidio bod yn forwyn. Wel, bod yn forwyn enillodd y dydd.

Mi es i'n syth i ffonio Mari a Wendy.

"Mae Glenda'n priodi," meddwn i. "Finna'n forwyn."

"Grêt," meddai'r ddwy. "Pa liw ffrog fydd gen ti?"

"Piws," meddwn i'n ddigalon.

Roedd distawrwydd mawr yr ochr arall i'r ffôn. Mi wn i be maen nhw'n 'i feddwl!

Iyc!

"Tyrd i'r clwb hefo fi heno," meddai Jaci yn y siop.

"Yr Octagon? Ond rydw i o dan oed."

"Fydd neb yn gwybod. Ac mi fyddi di hefo fi."

Wel … Roeddwn i'n gogwyddo o un penderfyniad i'r llall.

"Tyrd i'r awr hapus, os lici di. Tan naw mae honno.

Mynediad hanner pris, ac os byddi di eisio gadael wedyn … "

"Ia, ol reit."

Roeddwn i'n eneth waith rŵan, doeddwn? Ond doedd wiw i mi ddweud wrth Mam a Dad fy mod i'n mynd.

"Rydw i'n mynd i dŷ Jaci o'r gwaith heno," meddwn i.

Wrth lwc, dydw i ddim yn arfer mynd allan hefo Mari a Wendy ar nos Wener.

"Tyrd ti adre mewn pryd," rhybuddiodd Dad. "Dydan ni'n adnabod dim ar y Jaci 'ma."

'Run fath â taswn i'n hogan ysgol. Rydw i'n ennill fy ngheiniog rŵan ac yn gyfrifol am fy mywyd fy hun.

Roeddwn i wedi prynu ffrog yn sêl y siop. Un ddu, gwta. Cwta iawn. Dim ond at dop fy nghluniau. Ddaru mi mo'i gwisgo i adael y tŷ rhag ofn i Mam a Dad sylwi. Ond mi newidiais yng nghartre Jaci. Mi gefais fenthyg colur ganddi hefyd. Un tywyll o gwmpas fy llygaid a minlliw tanllyd ar fy ngwefusau. Ac wrth imi syllu yn y drych, mi fedrwn daeru fy mod i'n ugain oed … bron.

Fe gyrhaeddon ni tua hanner awr wedi wyth. Roedd y miwsig yn taranu ac un neu ddwy'n dawnsio.

"Dim ond genod sy 'ma," meddwn i'n siomedig.

"Disgwyl di tan naw," meddai Jaci.

Mi gymerais wydraid o Coke i ddechrau er bod Jaci eisio imi gymryd lager. Roedd Coke yn dangos pa mor ifanc oeddwn i, meddai hi. Ond mae 'nghalon i'n rasio rhag ofn i un o'r bownsers sylweddoli fy mod i o dan oed, a 'nhaflu i allan.

"Paid â phoeni," cysurodd Jaci. "Dim ots ganddyn nhw, ond iddyn nhw gael dy arian di."

Mi eisteddon ni wrth un o'r byrddau a cheisio sgwrsio dros sŵn y miwsig.

Dipyn yn fflat oeddwn i'n gweld pethau, ond o dipyn i beth mi gyrhaeddodd 'na ychydig o fechgyn. Neb oeddwn i'n ei adnabod chwaith.

Roeddwn i newydd benderfynu mai lle digon diflas oedd yno, a finnau'n adnabod neb ond Jaci, pan ddaeth Tecs i mewn.

Mi gododd fy nghalon yn syth. Siawns na wnâi o gymryd sylw ohona i rŵan, a finna yn y ffrog 'ma hefyd.

"Tecs," meddwn i wrth Jaci.

"Ymm … neis," meddai Jaci.

"Ffrind Victor," eglurais.

Mi edrychodd Tecs o gwmpas a'n gweld.

"Wel, wel," meddai. "Jan."

"A phwy ydi hon?" holodd gan wenu'n glên.

"Jaci," meddwn i. "O'r siop."

"Ja-aci!" meddai mewn llais secsi, a llithro i eistedd yn glòs wrth ei hymyl. "Wel, dyma fy noson lwcus … "

A dyna ffarwél i 'ngobeithion yn syth! Roedd o'n ei llygadu, ac yn gwenu a jocian fel petawn i'n rhan o'r wal! A mwya'n y byd roeddwn i'n ei wylio, mwya roeddwn i'n sylweddoli mai licio fo'i hun roedd o, a'i fod o'n credu'n siŵr mai fo oedd y peth gorau welodd merch erioed. Roeddwn i'n crensian fy nannedd rhag ffrwydro ac yn cicio fy hun am fod yn gymaint o ffŵl.

A dyna ddiwedd fy mreuddwyd am Tecs. Taswn i'n lwmpyn o faw, fuaswn i ddim yn cael fy anwybyddu gymaint. O do, mi gefais i wydraid o lager, mi eisteddais wrth y bwrdd a gwrando arnyn nhw'n siarad geg yn geg a'u gwylio nhw'n dawnsio wedyn. Roeddwn i'n ddiflas gorn.

Yna mi fu bron imi â syrthio wrth weld Geraint yn dŵad i mewn. Beth oedd o'n ei wneud yma? Roedd o dan oed fel finna. Ond roedd o'n edrych yn hŷn o dan y goleuadau, a'r pimpls ddim mor amlwg chwaith. Rywsut, mi roddodd fy nghalon dro bach annisgwyl wrth ei weld. Dim ond am mai Geraint drws nesa oedd o, wrth gwrs.

Mi edrychodd o gwmpas y clwb a 'ngweld i.

Diolch byth, meddwn wrthyf fy hun gan chwifio fy llaw. Mi ga i gwmpeini rŵan.

Ond … ond … Fedrwn i ddim coelio. Roedd o'n cyfarch rhyw hoiti-toiti o hogan benfelen a'i bronnau hi bron allan o'i ffrog, ac yn mynd â hi at y bar. Ac roedd o wedi fy anwybyddu'n llwyr!

"Rydw i am fynd adra," meddwn i wrth Jaci.

Roeddwn i bron â chrio. Siom Tecs a phopeth. A doeddwn i ddim eisio gweld Geraint drws nesa tra byddwn i byw!

Mi es i hefo Mam i'r cartre yn y bore. Roedd Stan Jones yn wên i gyd pan welodd o fi.

"Mae Lisi'n dŵad heddiw," meddai.

"Ydi hi?" meddwn inna.

"Ydi," atebodd yn fodlon.

Yna dyma fo'n craffu arna i.

"Be 'di dy enw di hefyd?"

"Jan."

"O … ia. Jan gwallt coch," meddai.

Roedd y rheolwr wedi dweud bod eisio imi siarad hefo pawb. Felly dyma fi'n dechrau symud o un i un a cheisio tynnu sgwrs. Ac er 'mod i'n brolio fy hun braidd, roeddwn i'n cael hwyl reit dda arni hi hefyd. Roeddwn i'n gweld fy hun yn rêl Florence Nightingale … yn cysuro cleifion a rhoi gobaith iddyn nhw mewn bywyd.

Mi hebryngodd Mam un ohonyn nhw am y drws.

"Dos ag Elin Hughes i'r toilet," meddai hi gan amneidio at hen wreigan oedd yn gogrwng yn ei chadair. "Brysia!"

"Dydw i ddim eisio mynd," meddai honno'n styfnig gan sbio'n gas ofnadwy arna i.

"Mae Mam yn dweud," meddwn i.

"Mae Mam wedi marw erstalwm," atebodd.

"Ia, ond … fy Mam i oeddwn i'n 'i feddwl," eglurais.

"Waeth gen i am honno," meddai hi'n siort.

Help! meddwn i wrthyf fy hun. Be wna i rŵan? Ond roedd yn rhy hwyr i wneud dim achos roedd yna wlybaniaeth yn ymledu'n afon o gwmpas cadair Elin Hughes.

"Mi ddeudis i, do?" meddai Mam yn filain.

Mi agorais fy ngheg i f'amddiffyn fy hun. Ond mi'i caeais hi'n glep wrth weld y dagrau'n llifo'n araf ar wyneb Elin Hughes.

"Hidiwch befo," meddwn a gafael yn dynn yn ei llaw.

"Dim he-elp," meddai hi'n ddistaw. "Methu dal."

Roeddwn i bron â chrio fy hun. Ond roeddwn i'n benderfynol o gyfarfod â phob sialens yn y cartre 'ma.

"Dos hefo hi i'r stafell molchi," meddai Mam. "Mi ddo i ar d'ôl di rŵan."

Mi afaelais ym mraich Elin Hughes a chydgerdded yn ara bach am y drws.

"Ddeudis i'n do?" meddai Stan Jones gan wenu fel petai o'n cael hwyl iawn. "Llond y lle 'ma o hen bobol."

"Mi siarada i hefo chi eto," meddwn i'n fygythiol.

"Iawn … Jan gwallt coch," meddai yntau gan wincio.

Mae angen gwylio hwnna, meddwn i wrthyf fy hun er fy mod i'n methu'n lân â pheidio gwenu'n ôl arno.

"Ylwch chi," meddwn i ar ôl dychwelyd hefo Elin Hughes. "Bihafiwch eich hun."

"Ia … debyg," meddai'n glên. "Llond y lle 'ma o hen bobol."

Faint oedd o'n ei feddwl oedd ei oedran o, tybed?

"Mae 'na rywbeth reit ddel ynot tithau," meddai. "Sgin ti gariad?"

"Ylwch," dwrdiais. "Dydi o'n ddim o'ch busnes chi, nac ydi?"

A dyma fi'n troi at y ddynes yn y gadair agosaf. A'r funud nesaf roeddwn i'n neidio am y nenfwd! Roedd rhywun wedi pinsio 'mhen-ôl i! Stan Jones!

"Mi llabyddia i chi os gwnewch chi hynna eto," bygythiais a 'mhen-ôl i'n llosgi!

"Lisi'n dŵad yn y munud," meddai'n ddiniwed. "Mynd adra wedyn." A dyma fy nghalon inna'n meddalu'n syth!

Roeddwn i'n reit falch o gael cyrraedd y siop yn y pnawn.

"Mi gefais i noson grêt," meddai Jaci'n gyfrinachol. "Tecs 'na'n andros o foi."

"Ydi … am wn i," meddwn i.

Ond dydi siop ddillad ar bnawn Sadwrn ddim yn lle i hel clecs! Roedd y lle'n llawn o gwsmeriaid. Ac er bod y sêl bron ar ben, roedden nhw i gyd yn tybio bod bargen neu ddwy ar ôl.

"Gwyliwch wrth y drws eto, Jan," meddai Miss Thomas. "A dim trio bod yn ddewr y tro yma."

Trio bod yn ddewr, wir, wfftiais. Trio fy ngorau oeddwn i, 'te? A chefais i ddim diolch chwaith. Dim ond llong ceg o eiriau cas.

Mi bwysais fy nghefn yn erbyn y wal a syllu'n ddioglyd o gwmpas y siop. Faint o'r rhain sydd am drio dwyn, dyfalais, gan lygadu'r cwsmeriaid fesul un ac un.

Ond tasen nhw i gyd yn rhuthro am y drws hefo llond eu hafflau, doeddwn i ddim am atal 'run ohonyn nhw. Ddim a Miss Thomas wedi deddfu mor bendant!

"Sefwch, nid hanner gorwedd," meddai hi.

Mi sythais ar unwaith.

"Welwch chi ddim wrth syrthio i gysgu'n fan'na," meddai hi wedyn.

Annheg fu bosys erioed. Eisio crwyn eu gweithwyr ar blât!

"Iawn, Miss Thomas. Ar unwaith, Miss Thomas," gwatwarais o dan fy ngwynt.

"Oeddech chi'n deud rhywbeth, Jan?" meddai hi'n felys.

"Dim, Miss Thomas," meddwn inna, yr un mor felys.

Mae hi'n rhy hen i gael cariad. Rhy surbwch hefyd. Efallai ei bod hi wedi cael siom erstalwm, breuddwydiais. Pan oedd hi'n ifanc. A rŵan mae hi wedi colli pob diddordeb ym mhopeth ond yn ei gwaith.

Synnwn i ddim na fuasai hi a Stan Jones yn gwneud yn iawn hefo'i gilydd. Mi fuasai pinsiad neu ddau ar ei phen-ôl yn gwneud andros o les iddi!

Roedd Jaci'n benderfynol o sôn am Tecs amser seibiant y pnawn.

"Golygus, tydi?" meddai hi'n freuddwydiol.

"Iawn, os wyt ti'n licio hync seren ffilm," meddwn i. "Heb ddim o dan ei gorun."

Ewcs! Roeddwn i'n swnio yn union fel Mari a Wendy. A doeddwn i ddim hanner mor beniog!

"Llygaid glas," meddai Jaci. "A rheiny'n tynnu dy ddillad wrth edrych arnat ti."

Mi wridais braidd. On'd oeddwn i wedi tybio bod Tecs yn llygadu fy mronnau yn y tacsi, a gwneud imi deimlo'n chwys rhyfedd?

"Wel, fuaswn i ddim yn rhoi cyfle iddo fo," meddwn i. "Mae un fel 'na'n beryg bywyd."

Mi edrychodd Jaci'n reit od arna i. Mi wridais inna dipyn mwy.

"Wel, wn i ddim, na wn," meddwn i'n gloff. "Mae o'n hŷn na fi, tydi?"

Doeddwn i ddim eisio i Jaci feddwl fy mod inna'n dwlu arno fo hefyd. A doeddwn i ddim yn hollol siŵr a oeddwn i ai peidio erbyn hyn. Ddim a fynta wedi f'anwybyddu yn yr Octagon.

Dau ohonyn nhw wedi f'anwybyddu yn yr Octagon. Geraint drws nesa hefyd! Ond wrth gwrs, doedd dim ots gen i am hwnnw. Doeddwn i ddim eisio cariad hefo pimpls!

Mi gyrhaeddais adre i ganfod bwrdd y gegin yn bapurau i gyd, a Mam a Glenda a'u trwynau ynghyd yn gwneud rhestr gwesteion priodas.

"Eisio help?" holais.

"Ddim gen ti," meddai Glenda mewn llais siarad-hefo-chwaer-fach.

"Cystal â neb, tydw," meddwn inna mewn llais wedi cael yr hyff!

"Dos at dy dad i'r lolfa," meddai Mam. "A dos â phaned arall iddo fo."

Roeddwn i wedi bwriadu mynd am fath a chymoni tipyn arnaf fy hun. Edrych oedd gen i flew dan fy ngheseiliau a phethau felly. A bachu'r cyfle i socian o ddifri gan fod Glenda'n rhy brysur i hawlio'r stafell molchi.

Ond ufuddhau ddaru mi, a gwneud mygaid o goffi i mi fy hun 'run pryd.

"Fan 'ma dach chi," meddwn i gan gario'r te a'r coffi i'r

lolfa.

"Ble arall?" meddai Dad a'i lygaid ynghlwm wrth y sgrin. "REIDIA FO'R FFŴL," gwaeddodd yn sydyn.

"Iesgob," meddwn i gan afael yn dynn yn fy mẁg. "Does dim angen gweiddi, nac oes?"

"Mae gen i arian arno fo, does?" eglurodd Dad. "A dydi'r llipryn joci 'na'n dda i ddim."

Rasys a phêl-droed a diod neu ddau yn y dafarn ydi hoff bethau Dad.

"Yli, mae'r diawl gwirion wedi colli ar y funud ola," dwrdiodd Dad. "Mi fuaswn i'n gwneud yn well fy hun."

Haws ichi gerdded ar fôr Iwerydd, meddwn i wrthyf fy hun. Ochneidiodd Dad i'w gwpan de.

"Ydyn nhw wedi gorffen tua'r gegin 'na, dywed?" holodd.

"O'r golwg mewn rhestrau," meddwn i.

Mi ddaeth Mam a Glenda trwodd ar y gair.

"Wel, dyna'r rhestr gwesteion wedi'i gorffen," meddai Mam yn fodlon. "Anfon y cardiau gwahoddiad fydd nesa."

Gwenodd y ddwy ar ei gilydd.

"Rhaid i chithau fynd i siop Moss i archebu trowsus streip a chôt gynffon, Dad," meddai Glenda.

Mi fu bron i gwpan Dad droi drosodd.

"BE?" holodd yn anghrediniol.

"Siwt gynffon a het uchel. Y chi a Gwyn a'i dad, a'r gwas priodas, wrth gwrs."

Mi neidiodd Dad ar ei draed.

"Does 'run o 'nhraed i'n mynd i 'run siop Moss,"

rhuodd. "A 'run o 'nghoesau i i drowsus streip chwaith."

"Ond … Dad … " Roedd sŵn bron â chrio yn llais Glenda. "Mae Gwyn … "

"Waeth gen i am dy Gwyn di," gwaeddodd Dad. "'Run o 'nhraed i … dallt?"

"A beth amdana i'n gorfod gwisgo ffrog biws?" cwynais. "A finna hefo gwallt coch!"

Mae 'na lot o bethau annheg mewn bywyd!

Mi es i'r ysgol heddiw i gael fy nghanlyniadau. Dau gefais i! Doeddwn i ddim yn disgwyl mwy, a finna heb weithio. A dydw i ddim am ddatgelu p'run ai A neu B neu C neu rywbeth gwaeth gefais i chwaith. Dydi o'n fusnes i neb ond y fi.

Mae Mari a Wendy wedi cael canlyniadau da, wrth gwrs. A a B bron i gyd. A Geraint hefyd.

Roeddwn i wedi bwriadu mynd ato fo a'i longyfarch. Ond roedd o'n benderfynol o f'anwybyddu, felly wnes i ddim trafferthu. Os mai fel 'na mae o'n teimlo!

Roeddwn i'n dechrau yn y siop am ddau.

"Gawsoch chi ganlyniadau heddiw, Jan?" holodd Miss Thomas yn reit glên.

"Wel … dim ond un neu ddau," meddwn i fel pe na bai ots gen i amdanyn nhw.

Ond, yn rhyfedd, *mae* gen i ots. Hen deimlad annifyr oedd gweld Mari a Wendy a chriw o rai eraill yn hel at ei gilydd ac yn "Wwio" ac "Aaio" uwchben eu canlyniadau ac yn cofleidio'i gilydd a ballu. Roeddwn i'n teimlo allan o bopeth rywsut.

Ond fûm i erioed eisio mynd i goleg. Eisio dechrau gweithio ac ennill arian oeddwn i. Felly, rydw i wedi cael fy nymuniad.

"Biti," meddai Mari pan ddaeth hi i'r siop yn y pnawn. "Wyt ti'n difaru?"

"'Run blewyn," meddwn i'n dalog.

Mi edrychodd yn syn arna i am eiliad.

"Rydan ni'n mynd allan i ddathlu heno," meddai hi o'r diwedd. "Wyt ti am ddŵad?"

Dim ffeiars, meddwn i wrthyf fy hun. A chadw at fy mhenderfyniad ddaru mi hefyd, er bod noson wag, ddiflas yn ymestyn o 'mlaen i.

Rydw i wedi gweld andros o foi golygus … ac wedi anghofio popeth am Tecs.

Mi gaiff Jaci hwnnw! Ond sut i ddod i adnabod y boi newydd 'ma. Dyna ydi'r broblem.

Roeddwn i wedi picio i gaffi Penrallt amser cinio. Jest i nôl rôl gaws a thomato i mi fy hun, a rhedeg yn ôl wedyn i'w bwyta hi yn y stafell staff. A dyma fi'n ei weld o!

Roedd o'n sefyll wrth y cownter ac yn trio penderfynu beth oedd yntau am ei gael i ginio. Ac mi roddodd fy nghalon dro yn syth!

Roedd o'n dal, hefo gwallt du, du a llygaid brown, a phan wenodd o arna i, mi fu bron imi â llewygu.

"Dewis di gynta," meddai'n glên. "Dydw i ddim wedi penderfynu eto."

"Na finna chwaith," meddwn i'n gelwydd i gyd.

Mi sefais wrth ei ochor a smalio fy mod i'n pwyso a mesur y bwydydd o dan y cownter gwydr. Ond fedrwn i ddim peidio ag edrych arno fo o gil fy llygaid a 'nghalon i'n pwmpio fel peiriant car.

"Wyt ti wedi dewis?" holodd yn fanesol.

"Naddo," atebais a'm llais ar goll rywle yn fy llwnc.

"Mi gymera i rôl ham a letys," meddai wrth y ferch y tu ôl i'r cownter.

Ac yna, mi drodd am y drws a diflannu o 'mywyd i.

Mi gerddais yn ôl i Cresta mewn breuddwyd ardderchog. Beth oedd ei enw fo, tybed? Rhywbeth uchelgeisiol fel Trystan neu Myrddin, synnwn i ddim. A lle'r oedd o'n gweithio, tybed?

"Be sy'n bod?" holodd Jaci wrth fy ngweld i'n bwyta heb ddweud gair.

"Wedi gweld y boi 'ma ... " meddwn i.

"Lle?" holodd Jaci.

"Caffi Penrallt. Yn prynu rôl ham a letys," ochneidiais.

"Rhamantus!" meddai Jaci gan chwerthin.

Roeddwn i'n methu peidio ag edrych i'r stryd bob yn hyn a hyn drwy'r pnawn. Jest rhag ofn iddo fod yn cerdded heibio. Mi dybiais ei weld lawer gwaith, ond siom gefais i. Rhywun arall, llawer llai golygus, oedden nhw bob tro.

"Hm-mm!" pesychodd Jaci rywle y tu ôl imi.

Ond chymerais i ddim sylw. Roeddwn i'n rhy brysur yn gwau breuddwyd braf, lle'r oeddwn i'n syrthio i freichiau Trystan/Myrddin ac yntau'n fy ngwasgu ato!

Ond pesychu i'm rhybuddio i roedd Jaci. Y funud nesaf roedd Miss Thomas yn sefyll wrth fy ochr ac yn craffu'n fusnes i gyd i'r stryd.

"Disgwyl y Tywysog Charles, Jan?" holodd yn reit sbeitlyd.

Fel taswn i'n gwastraffu amser yn disgwyl am hwnnw! Ond mi fedrwn deimlo fy hun yn gwrido.

"Sori, Miss Thomas. Meddwl oeddwn i," atebais yn gloff.

"Talu am waith, nid am feddwl, ydyn ni yn y siop yma, Jan," meddai hi'n siort. "Ewch i dwtio'r bwrdd siwmperi 'na."

"Iawn, Miss Thomas. Sori, Miss Thomas," meddwn i gan daflu un cipolwg arall i gyfeiriad y stryd.

"Rŵan hyn, Jan," meddai hi.

Wel, roeddwn i eisio cadw fy job. Felly mi neidiais i ufuddhau rhag ofn imi gael y sac.

"Paid â chodi'i gwrychyn hi, Jan," rhybuddiodd Jaci. "Mae ganddi hi dymer, cofia."

Ond mae modd gweithio a breuddwydio. A dyna ddaru mi trwy'r pnawn hefyd. Ond chefais i ddim cyfle i syllu trwy'r ffenest wedyn. Mi ofalodd Miss Thomas am hynny!

Roedd storm aeafol yn ein tŷ ni pan gyrhaeddais adre. Dad yn styfnig, Glenda'n ddagreuol, Mam yn trio cymodi pawb, a Victor a'i ben yn y papur newydd rhag ochri hefo neb.

"Rydw i eisio priodas fythgofiadwy," sniffiodd Glenda.

"Hefo steil ac urddas. Ac mae Gwyn yn dweud … "

Ond chawson ni ddim gwybod beth oedd Gwyn yn ei ddweud. Fe gododd Dad a'i gwadnu hi am y llofft a chau drws y toiled hefo andros o glep. Debyg mai yno y bydd o tan amser swper rŵan!

Mae'n smonach glân yn y siop – Miss Thomas wedi deddfu ei bod yn amser cyfri stoc ddydd Mawrth, ac y bydd yn rhaid inni gychwyn yn fore a gorffen yn hwyr er mwyn gwneud y cyfan mewn byr amser.

"Dŵad yma cyn wyth!" meddwn i'n anghrediniol wrth Jaci. "Be mae hi'n 'i feddwl ydan ni? Caethweision?"

"Fel 'na byddwn ni'n gwneud amser cyfri stoc," meddai Jaci.

"Ond mi fydd yn rhaid imi godi tua saith! Fedra i byth!"

"Cloc larwm," eglurodd Jaci. "Dyna i beth maen nhw dda. I godi pobol."

Ac yna, dyma hi'n cael syniad sydyn.

"Mi wn i. Tyrd i aros ata i. Mi fyddi'n siŵr o godi wedyn."

Ac mi gafodd syniad arall.

"Mi awn ni allan y noson gynt. I'r dafarn. Gawn ni lot o hwyl yno."

"Tafarn?"

Roedd fy ngheg i'n agored fel un pysgodyn. Nid bod gen i ddim byd yn erbyn tafarn.

Roeddwn i'n edrych ymlaen am fynd. Ond 'mod i'n meddwl am Dad – beth petai o'n clywed? Mi fuasai'n tantro a deddfu am ddyddiau!

A dydw i byth yn dallt pam. Mae o a Mam yn mwynhau diferyn o alcohol … ac nid diferyn bach chwaith. Maen nhw'n dŵad adre yn hapus braf, ac yn diodde o ben tost bore trannoeth. Ond mae Dad yn traethu fel petai o rioed wedi bod yn ifanc ac eisio trio rhywbeth newydd ei hun.

"Mi ddo i," meddwn heb gysidro eilwaith.

"Iawn," meddai Jaci yn wên i gyd. "Mi gawn ni hwyl."

Roedd Dad yn reit ddrwgdybus ar y dechrau. Methu gweld y gwahaniaeth rhwng codi'n fore yn nhŷ Jaci a chodi'n fore gartre. Ond wedi imi egluro pa mor fuan oedd eisio bod yno, ac y buasai Jaci'n falch o gael fy nghwmni rhag ofn iddi hithau gysgu'n hwyr, mi gytunodd braidd yn erbyn ei ewyllys.

"Cyn belled â dy fod ti'n cofio diolch am dy le, ac yn bihafio dy hun mewn tŷ dieithr," meddai.

Wrth gwrs!

Mi es i â fy jins a 'nhop gorau hefo mi i'w gwisgo gyda'r nos.

Hefo'i mam mae Jaci'n byw am fod ei rhieni wedi cael ysgariad.

Roeddwn i braidd yn nerfus wrth feddwl am wynebu ei mam am y tro cynta. Ofni na fyddai hi'n ffansïo cael rhywun o'r siop yn aros yn y tŷ. Ond mi gefais i groeso mawr.

"Mae'n dda gen i weld Jaci'n dŵad â ffrind adre," meddai hi. "A mwynhewch eich hunain heno," meddai hi wedyn wrth baratoi i fynd allan ei hun.

"Cariad newydd ganddi," eglurodd Jaci.

"O," meddwn i heb wybod beth arall i'w ddweud. "Ydi ots gen ti?"

Codi'i hysgwyddau ddaru Jaci.

"Pam lai?" atebodd yn ddidaro. "Mae Dad wedi mynd, tydi?"

Fedrwn i ddim meddwl am Dad a Mam yn gwahanu, er eu bod nhw'n ffraeo'n ofnadwy weithiau. (Fel rŵan hefo priodas Glenda!)

"Mi awn ni i Dafarn y Grawnwin," meddai Jaci. "Yli, mi ro i dipyn o golur ar dy wyneb di. Mi fyddi'n edrych yn ddigon hen wedyn."

Dipyn ddywedodd hi, ond erbyn iddi orffen roedd gen i drwch brown lliw haul ar fy wyneb, colur ar fy llygaid nes roedden nhw fel soseri, a minlliw tanllyd ar fy ngwefusau. A phâr o glustlysau Jaci i orffen y ddelwedd soffistigedig.

"Iawn," meddwn i, gan ffansïo fy hun yn ofnadwy yn y drych.

Roeddwn i'n edrych yn ugain oed o leiaf.

Mi gerddon ni i lawr y stryd ac i'r dafarn. Roedd y lle'n orlawn a lleisiau'n codi'n gorws yn fy nghlustiau.

"Jan ydi hon," cyhoeddodd Jaci. "Mae hi'n gweithio yn y siop."

Roedd criw o'i ffrindiau yno. Bechgyn a genethod. Doedd 'run o'r bechgyn yn fargen gen i rywsut. Ond mi fwynheais y teimlad o eistedd mewn criw yn chwerthin ac yfed a gwylio pawb arall yn ysmygu. *No way* oeddwn i am gymryd sigarét, wrth gwrs!

Roeddwn i wedi bwriadu bod yn hynod o ofalus hefo'r ddiod. Doeddwn i ddim eisio gwneud ffŵl ohonof fy hun. Ond wrth weld pawb mor brysur yn siarad a chwerthin ac yfed o 'nghwmpas i, mi anghofiais gadw cownt. Ac o dipyn i beth, mi aeth popeth a phobman yn niwlog braf, ac mi giliodd y lleisiau a'r chwerthin yn atsain pell. Mi yfais i bopeth oedd yn cael ei roi o 'mlaen i, a suddo'n ddyfnach i'r niwl a'r llesgedd braf oedd yn llenwi fy nghorff.

Mi ganodd y perchennog y gloch gau o'r diwedd. Roedd pawb yn codi a gafael yn eu cotiau, a ffarwelio a chychwyn am y drws. Ond rywsut roedd fy mhen-ôl i'n glynu yn y sedd.

"Jan! Faint wyt ti wedi'i yfed?" holodd Jaci.

Fedrwn i ddim ateb. Roedd fy nhafod yn dew a thrwsgl.

"Helpwch fi i fynd â hi allan," meddai Jaci wrth rywun.

Does gen i ddim cof o gael fy arwain allan, dim ond bod fy nhraed yn baglu ar draws ei gilydd, a bod yr awyr iach wedi fy hitio fel morthwyl rhwng fy llygaid.

"Oooo! Gadewch imi farw," griddfanais.

"Marw?" meddai Jaci. "Mae'n rhaid i ti weithio fory, yr hulpan."

Gwaith? Beth oedd hwnnw? Fedrwn i ddim dychmygu rhoi un droed o flaen y llall, heb sôn am weithio, y funud honno.

"Oooo!" meddwn i wedyn a'r beil yn codi'n sydyn i fy llwnc.

"Iyc! Mae hi am chwydu," meddai rhywun.

A dyna'n union ddaru mi hefyd. Dros fy jins a 'nhop

gorau. O! mi roeddwn i'n sâl! Yn ddigon sâl i farw yn y fan a'r lle.

Mi geisiais egluro hynny i Jaci, ond chefais i fawr o gydymdeimlad.

"Fedri di ddim marw'n fan'ma siŵr," meddai hi a dechrau fy llusgo i gyfeiriad ei chartre. Mi eisteddais ar garreg y drws a gwrthod symud nes y byddai'r byd yn llonyddu. Pam roedd yn rhaid iddo godi a gostwng o 'nghwmpas i?

"Cod. I mewn â chdi," meddai Jaci.

Mi afaelodd hi a rhywun arall ynof i a rhoi hwb i mi a 'nghoesau anystwyth tros y rhiniog.

"Ddim e-ei-sio," meddwn i gan deimlo fy nghoesau'n fy ngollwng eilwaith.

"Uffern dân!" meddai rhywun. "Fedrwn ni byth ei chael hi i'w gwely fel hyn."

A dyma nhw'n dechrau fy llusgo i gyfeiriad y grisiau. Mi glywn i rywun yn trio canu ar dop ei llais.

"Cau dy geg," meddai Jaci'n chwyrn. "Wyt ti eisio deffro'r bobol drws nesa?"

Hefo pwy oedd hi'n siarad? Nid y fi oedd yn canu. Roeddwn i'n siŵr o hynny.

Tynnodd rhywun fy nillad a dwrdio bob yn ail. Ar ganol hynny, mi ddisgynnais inna i ryw dywyllwch gwlanog, du, a theimlo rhywun yn gwthio gobennydd trwchus i gynnal fy nghefn.

"A chysga ar dy ochr," rhybuddiodd llais.

Jaci?

"Oooo stopia'r gloch 'na. Plis!" erfynais fore trannoeth.

"Cloc larwm ydi o. Ac mae'n amser codi," meddai Jaci.

"Codi?" griddfanais. "Fedra i ddim!"

Fe droais ar fy ochr a cheisio llonyddu'r morthwylion oedd yn fy mhen.

"Cod," gorchmynnodd Jaci. "Rŵan hyn, neu mi fyddwn ni'n hwyr."

A dyma hi'n taflu'r dillad i ffwrdd ac yn gafael yn fy nghoesau a'u codi dros erchwyn y gwely.

"Brysia," meddai hi.

Roedd fy llygaid wedi hanner eu cau a'r golau gwan a ddeuai trwy'r ffenest yn teimlo fel picell.

Griddfanais. Ond doedd dim cydymdeimlad i'w gael.

"Wn i ddim pam na fuaset ti'n fwy gofalus," dwrdiodd Jaci. "Sut oeddwn i'n gwybod faint yfaist ti?"

"Colli cownt ddaru mi," ochneidiais.

Mi ddychrynais pan welais fy hun yn y drych. Wyneb bwgan brain a syllai arna i, a cholur neithiwr yn gysgodion arno.

"Molcha. Tra bydda i'n gwneud brecwast," meddai Jaci.

"Brecwast?" Mi ddechreuodd fy stumog droi'n aflonydd. "Fedra i ddim wynebu tamaid!"

"Coffi du a thôst," dyfarnodd Jaci a diflannu i lawr y grisiau.

Roedd pob cam yn boen wrth i mi anelu am y stafell molchi. Ond mi ddechreuais deimlo'n well wedi tasgu dŵr oer ar fy wyneb a llnau fy nannedd.

Mi ofalodd Jaci fy mod i'n llyncu mygaid o goffi a thabled at fy nghur pen. Ond fedrwn i ddim bwyta tamaid o'r tôst. Dydw i byth bythoedd am yfed gormod eto!

Am fore! Mae cyfri stoc yn farathon o job, yn enwedig hefo pen tost.

"Gafaelwch ynddi, Jan," meddai Miss Thomas yn flin wrth fy ngweld i'n llesg ac araf.

Wel, llesg ac araf fuasai hithau hefyd petai hi'n diodda fel roeddwn i.

Erbyn amser cinio, roedd fy stumog i'n gweiddi am fwyd, a'r cur pen mor gryf ag erioed. Ond mi roddodd Miss Thomas ar ddallt nad oedd awr ginio gyfan i'w gael o achos pwysau gwaith.

"Ras i'r caffi ac yn ôl hefo brechdan, Jan," meddai hi. "Neu wnawn ni byth orffen."

Doeddwn i ddim yn teimlo fel rhedeg ras. Ond gan fod Miss Thomas wedi bod mor bendant, mi wnes fy ngorau. Mi lonciais yn frysiog am y caffi, a cheisio rheoli fy nghur pen yr un pryd. A'r eiliad nesaf roeddwn i wedi taro yn erbyn rhywun, a fo a finnau'n disgyn yn sypiau ar y palmant.

"Uffern dân!" meddai rhywun yn ffrwcslyd.

TRYSTAN/MYRDDIN!

"O ... sori," meddwn i, wedi anghofio popeth am frechdan a chur yn fy mhen.

Ond roedd o wedi rhoi ei law wrth ei lygaid cyn cyrcydu i archwilio'r palmant yn wgus.

"Wyt ti wedi brifo?" holais, a 'nghalon yn fy ngwddf.

"Wedi brifo?" meddai'n grac. "Pam na fuaset ti'n fwy gofalus? Rydw i wedi colli fy lens llygad rŵan. A rheiny'n costio ffortiwn."

Mi gamais ymlaen gan feddwl ei helpu i chwilio.

"Aros lle'r wyt ti … " gorchmynnodd.

Ond roedd yn rhy hwyr. Mi deimlais rhywbeth bach, bach yn crensian yn ysgafn o dan fy nhroed. Y lens llygad!

Wel, dyna ddiwedd ar ein cyfeillgarwch cyn iddo ddechrau. Roedd ei lais yn taranu'n ffyrnig rywle uwch fy mhen, a doedd waeth imi heb â cheisio ymddiheuro. Doedd o ddim am wrando ar 'run gair.

"Ffŵl o hogan," oedd y geiriau diwethaf glywais i wrth iddo ddiflannu i lawr y stryd.

Chefais i fawr o flas ar y frechdan, a llai fyth ar weithio'n galed drwy'r pnawn. Dydi bywyd byth yn deg!

Roedd hi bron yn wyth o'r gloch arnon ni'n gorffen yn y siop. Ac erbyn hynny roeddwn bron â disgyn.

"Mae'ch tad wedi ffonio, Jan," meddai Miss Thomas. "Mi ddaw Victor i'ch nôl am ei bod yn hwyr."

"Diolch byth," meddwn wrthyf fy hun.

Mi gyrhaeddodd Victor jest cyn inni ddiffodd y goleuadau. Am unwaith, roedd o wedi molchi a newid o'i oferôl.

"Miss Thomas … Victor," meddwn i gan deimlo y dylwn eu cyflwyno i'w gilydd.

Mi estynnodd Victor law reit lân i ysgwyd ei llaw hithau.

(Wn i ddim beth am o dan ei ewinedd chwaith. Olew i gyd, mi fetia i.)

Roeddwn i'n barod i adael. Ond am ryw reswm roedd Miss Thomas a Victor yn dal i siarad a gwenu ar ei gilydd.

"Wela i di fory," meddai Jaci. "A gobeithio bydd dy ben di'n well erbyn hynny."

"Taswn i'n cael mynd adre," ochneidiais. "Be sy'n bod ar y ddau 'ma?"

Roedd gwrid ar wyneb Miss Thomas a golwg braidd yn syfrdan ar wyneb Victor. Doedden nhw rioed yn ffraeo? Mi benderfynais fod yn rhaid imi eu gwahanu, rhag ofn iddi fynd yn daro rhyngddyn nhw.

"Dwi'n barod rŵan, Victor," meddwn i.

"O … ia … siŵr," meddai Victor. "Dda gen i eich cyfarfod chi," meddai wrth Miss Thomas.

"A finna chitha," oedd yr ateb.

A dyma nhw'n gwenu reit neis ar ei gilydd.

Roedd Victor yn reit dawedog ar y ffordd adre, ond doedd fawr o ots gen i. Rhwng popeth, roeddwn i wedi cael noson a diwrnod ofnadwy!

Mi ddaeth Mari a Wendy i'r siop heddiw. I chwilio am rywbeth newydd i ddathlu'r canlyniadau, medden nhw. Mi fu'r ddwy'n prowla yma ac acw, yn gafael yn y peth yma a'r peth arall a chael hwyl wrth edrych ar brisiau.

"Wyt ti'n licio gweithio yma?" holodd Mari. "Diflas, dwi'n siŵr."

"Cael cyflog, tydw?" meddwn i.

Roeddwn i wedi bwriadu mynd o gwmpas y siop hefo nhw, ond mi waeddodd Miss Thomas arna i.

"Mae'r silffoedd yn flêr, Jan," meddai hi. "Ewch i'w tacluso nhw."

Ac wrth gwrs, roedd yn rhaid imi ufuddhau. Mi adewais i Mari a Wendy wrth y cownter bach yn bodio ychydig o weddillion y sêl. Roeddwn i wedi bwriadu prynu top lliw ceirios o'r fan honno fy hun, ond 'mod i wedi anghofio gofyn i Miss Thomas gawn i ei roi o'r neilltu. A'r unig un oedd o hefyd. Mi ofynna i wedyn, meddyliais.

Mi aeth Mari a Wendy allan yn waglaw jest fel roeddwn inna'n gorffen twtio'r silffoedd. Dyma fy nghyfle i gadw'r top 'na, meddyliais. Ond doedd o ddim yno! Mi ddechreuodd fy nhu mewn grynu wrth i amheuon fy nharo.

Bore tawel fu hi yn y siop, a fedrwn i ddim cofio gweld neb ond Mari a Wendy wrth y cownter bach. A doedden nhw ddim wedi prynu dim! Felly, lle'r oedd y top? Roedd Jaci wrth y til.

"Oes 'na rywun wedi prynu'r top lliw ceirios hwnnw?" holais.

"Nac oes," meddai hi.

"Dydi o ddim yna rŵan," meddwn i a 'ngheg yn sych.

"Wedi'i ddwyn," meddai Jaci.

Mi edrychon ni'n dwy ar ein gilydd.

"Fuasen nhw byth," meddwn i'n grynedig. "Nid Mari a Wendy."

"Fedri di ddim ymddiried yn neb," meddai Jaci'n bendant.

"Ond maen nhw'n ffrindiau i mi!"

"Dydi hynny dweud dim," oedd dyfarniad Jaci.

Fedrwn i ddim meddwl am ddweud wrth Miss Thomas. Doeddwn i ddim yn hollol sicr, nac oeddwn? A be fedrai Miss Thomas na neb arall ei wneud? Roedd y top lliw ceirios wedi diflannu.

Roedd y siop ar fin cau a finnau'n dyheu am gael mynd adre a chael cyfle i bendroni uwchben pethau o ddifri. A phwy gerddodd i mewn? Victor!

"Be wyt ti'n 'i wneud yn fan'ma?" holais yn syn.

"Ar fy ffordd adra," meddai. "A meddwl y buaset ti'n licio lifft."

"Iawn," meddwn i'n fôr o syndod.

Ond roedd o wedi troi i siarad hefo Miss Thomas. Ac roedd hi'n gwenu'n glên er ei fod o yn y siop yn ei oferôl. Dyna destun syndod arall. Rhwng popeth, mae fy myd i'n cael ei droi wyneb i waered!

Roedd Geraint yn dŵad i lawr llwybr gardd drws nesa fel roedden ni'n cyrraedd adre.

"Sut hwyl, Geraint?" holodd Victor.

Ond mynd i mewn heb ddweud dim ddaru mi. Dim iws, nac ydi, ac yntau'n f'anwybyddu. Dim ots gen i.

Mae bywyd yn ddiflas. Roeddwn i'n amau i ble'r aeth y top lliw ceirios yna, ac yn poeni a ddylwn i ddweud rhywbeth wrth Miss Thomas ai peidio. Ond mae Mari a Wendy'n ffrindiau imi, tydyn? Wedi bod yn ffrindiau rioed. A fedra i ddim profi mai nhw sy'n gyfrifol.

Roeddwn i'n teimlo'n reit benisel wrth gerdded hefo Mam am y cartre tua deg y bore. Ac yn fwy penisel fyth pan gerddodd Mari a Wendy i'n cyfarfod ni.

Roedd Mari'n gwisgo top lliw ceirios.

"Helô," meddai Mam. "Wedi dŵad i chwilio am Jan ydach chi?"

"Na … Geraint," meddai'r ddwy.

Fedrwn i ddweud dim. Roedd fy llygaid yn sefydlog ar y top lliw ceirios a wisgai Mari. Yn union fel yr un o'r siop.

Mi welodd fi'n edrych arno, ac mi wridodd ychydig.

"Licio fo? Mam wedi'i brynu yn Llandudno yr wythnos ddiwethaf," meddai hi. "'Te, Wendy?"

"Ia," meddai honno braidd yn annifyr.

"Del iawn, wir," meddai Mam. "Mi fuasai'r lliw yna'n gweddu i ti, Jan. Oes 'na rai yn Cresta'r dre hefyd?"

"Un oedd ar ôl wedi'r sêl," meddwn i. "Ond dydi o ddim yno rŵan."

Fedrwn i ddim cadw'r tinc cyhuddgar o'm llais.

"Well i ni fynd," meddai Mari'n frysiog. "Mae Geraint yn disgwyl amdanon ni."

Fedrwn i ddim dweud gair, heblaw fy mod i bron â chrio. Ond dydi Mam ddim yn un i anwybyddu arwyddion 'mod i'n ypsét.

"Rhywbeth yn bod, Jan?" holodd.

"Dim byd," meddwn i mewn llais dagreuol.

"Mae 'na rywbeth," meddai hi.

A rywsut fedrwn i ddim peidio â thywallt yr holl stori allan. Mi wrandawodd Mam heb ddweud gair.

"Mae 'na siop Cresta yn Llandudno, cofia, Jan," meddai hi. "Ac efallai bod mam Mari wedi prynu un yno. Bod yn ddistaw sydd orau. Am y tro."

Mi gyrhaeddais y cartre mewn cwmwl o iselder. Fel petawn i wedi f'amddifadu o sleisen fawr o'm bywyd. Mari a Wendy.

"Helô … Jan gwallt coch," meddai Stan Jones, yn falch o 'ngweld.

Mi ddeudais i "helô" yn reit wantan yn ôl. Ond fedra i ddim bod yn ddigalon am byth, hyd yn oed os ydw i'n llawn amheuon ynghylch y top lliw ceirios. Felly mi wenais, ac mi siaradais, ac mi helpais Mam a'r gweinyddesau. Ac mi ofalais beidio â rhoi cyfle i fys a bawd Stan Jones. Doeddwn i ddim eisio pinsiad arall ar fy mhen-ôl!

Mae'r ffrog biws wedi cyrraedd! Un laes hefo cwmpas mawr iddi a ruban yn gwlwm anferth ar y cefn. Tasa hi'n unrhyw liw heblaw piws, mi fuaswn wrth fy modd.

Ond dydi Dad byth wedi cytuno i'r trowsus streip a'r gôt gynffon!

Wn i ddim beth sy'n bod ar Victor. Mae o'n mynnu rhoi lifft imi adre o 'ngwaith, ac yn cael gair hefo Miss Thomas bob tro hefyd. Gobeithio nad ydi hi'n cwyno am fy ngwaith wrtho fo. Dweud nad ydw i'n plesio a 'mod i am gael y sac.

Rydw i'n mynd allan hefo Jaci ar nos Sadwrn rŵan. A finna wedi dechrau ennill cyflog, mi benderfynais fy mod i'n rhy aeddfed i ymuno â chriw o enethod ysgol.

A ph'run bynnag, mae 'na oerni rhyfedd rhwng Mari a Wendy a finna wedi busnes y top lliw ceirios.

Nid fy mod i wedi dweud gair wrthyn nhw. Ond mae'r cyhuddiad cudd yn hongian rhyngddon ni rywsut. Rydan ni'n gwybod ei fod o yna, ond does 'run ohonon ni am gydnabod hynny chwaith.

Ac mi rydw i'n mwynhau mynd allan hefo Jaci. I Dafarn y Grawnwin ran amlaf. Ond dydw i ddim wedi gor-yfed wedyn. Mae chwydu a gwneud sioe ohonof fy hun unwaith yn ddigon.

Mae Dad wedi cowtowio o'r diwedd, ac wedi mynd i nôl trowsus streip a chôt gynffon.

"Mi edrychwch yn ffab," meddwn i i'w gysuro.

"Ffab, wir," meddai'n flin. "Doedd 'na ddim cau ar geg dy fam a Glenda."

Dydw i ddim yn edrych ymlaen at wisgo'r ffrog biws chwaith. Mi fydda i fel clown o liwgar. Ond does gen i ddim dewis. Mae'r rihyrsal heno, ac mi fydd yn rhaid imi bracteisio cerdded yn urddasol y tu ôl i Glenda a Meira, chwaer Gwyn.

"Brysia," meddai Mam. "Neu mi fyddwn ni'n hwyr."

"Be 'di'r ots," meddwn i o dan fy ngwynt. "Practis ydi o, nid yr un go iawn."

Ond roedd Mam a Glenda ar bigau'r drain, a golwg jest â ffrwydro ar Dad.

Felly llyncu tamaid o swper ddaru mi a brysio am yr eglwys wrth eu sodlau.

Roedd pawb yno'n disgwyl ... pawb ond y gwas priodas.

"Edwin heb gyrraedd eto," meddai Gwyn.

Iyc! meddyliais a chael hwyl ardderchog yn dyfalu sut berson fuasai rhywun hefo enw fel Edwin. Person hen-ffash, hefo traed chwarter i dri a throwsus haff-mast, a sbecs gwaelod pot jam. Hy! Diolch byth mai Meira oedd y brif forwyn, meddyliais. Doeddwn i ddim yn ffansïo cerdded fraich ym mraich hefo neb o'r enw Edwin!

Roedden ni'n eistedd yno'n rhyw fân siarad pan wichiodd drws yr eglwys yn agored. Tybed oedd Edwin wedi cyrraedd? Mi drodd pawb i weld.

Mi fu bron imi â marw o sioc. Trystan/Myrddin oedd o! Tal, golygus hefo gwallt du, du a llygaid brown, a finna wedi sathru ei lens llygad yn shwrwd!

Mi suddais cyn ised ag y medrwn ar y sedd.

Ond roedd Gwyn yn ei gyflwyno i bawb. Ac yn symud yn nes ac yn nes cyn cyrraedd ata i. Roeddwn i'n cau fy llygaid ac yn gweddïo y byddai mellten yn fy nharo yn y fan a'r lle.

"A dyma Jan, chwaer Glenda," meddai Gwyn.

Roedd y chwys yn berlau ar fy nhalcen.

"H-elô," meddwn i mewn llais gwan.

"O!" meddai ac edrych i lawr ei drwyn. "Y chdi!"

"Nabod eich gilydd?" holodd Gwyn braidd yn syn.

"Wedi dŵad i gysylltiad," meddai Edwin.

Roedd golwg eisio gwybod ar bawb, ond hanner gwenu ddaru Edwin a throi i ymuno yn y rihyrsal. Efallai ei fod o wedi maddau imi! Mi lyncais boer yn ddiolchgar.

Roeddwn i ar dân eisio dweud wrth Jaci drannoeth.

"A phwy feddyliet ti ydi'r gwas?" meddwn i.

"Pwy?" holodd honno.

"Edwin!"

Doedd Jaci fawr callach.

"Y boi hwnnw yn y caffi. A finna'n sathru ei lens llygad wedyn."

"Hwnnw? *Edwin* ydi'i enw fo?"

Mi allwn weld nad oedd gan Jaci fawr o feddwl o'r enw chwaith. Ond, wrth gwrs, ar ei fam roedd y bai. Does gan fabi ddim dewis.

"Tybed gawn ni dipyn o waith ganddoch chi heddiw?" holodd Miss Thomas gan wenu.

"Iawn," medden ni'n dwy.

"Tymer dda arni," sylwais.

"Gwybod pam, dwyt?" meddai Jaci'n arwyddocaol.

"Pam?" holais.

Mi roddodd Jaci bwniad reit dda imi.

"Victor," meddai hi.

"Victor?" meddwn i'n syn.

"Licio fo, tydi?"

"Victor ni?"

"Ia."

Mae gwyrthiau'n digwydd bob dydd!

Wna i ddim disgrifio'r briodas, dim ond dweud mai poen oedd pob eiliad yn y ffrog biws. A bod Edwin geg yn geg hefo Meira, a Geraint yn mynnu cadw draw drwy'r amser. Peth ofnadwy ydi pwdu ar ôl derbyn gair o gyngor. Ond mae'r pimpls yn lot gwell erbyn hyn. Efallai ei fod o wedi sleifio i siop y fferyllydd i brynu stwff heb i neb wybod.

Roedd y parti gyda'r nos yn grêt. Y bwyd … y dawnsio … popeth!

Erbyn hynny, roeddwn i wedi cael gwared o'r ffrog biws, a Dad wedi newid o'i drowsus streip a'i gôt gynffon. Mi wisgais y ffrog brynais i yn Cresta. Yr un ddu, gwta, gwta honno.

"Hances boced o ffrog," oedd dyfarniad Dad pan welodd o hi'n iawn.

"Ia … ond Dad, rydw i'n rêl model ynddi, tydw? Yn well na'r ffrog biws!"

Gwenu ddaru Dad a rhoi ei fraich am f'ysgwyddau am eiliad.

"Wyt siŵr," meddai. "Ti fydd y ddela yno."

Roedd llygaid Edwin ar y ffrog gwta gwta, hefyd.

"Dawnsio?" holodd.

"Iawn," meddwn i fel pe na bawn i rioed wedi dinistrio'i lens llygad.

"Wnest ti fwynhau'r briodas?" holodd.

"Do … heblaw am y ffrog biws," meddwn i.

Chwerthin ddaru fo a thynhau ei fraich amdana i. Mi

ddylswn fod ar ben fy nigon. Ond rywsut, er ei fod o'n dal a golygus, hefo gwallt du, du a llygaid brown, doeddwn i ddim yn hapus ofnadwy chwaith. Am fod Geraint yn sefyll yn y gornel a golwg ddigalon arno, am wn i. A finnau wedi cael digon ar beidio bod yn ffrindiau.

Mi benderfynais.

"Dwi'n mynd rŵan," meddwn i wrth Edwin.

A chyn iddo gael ei wynt ato, roeddwn i wedi brasgamu trwy'r dawnswyr a sefyll o flaen Geraint.

"Hei! Nabod fi, Jan drws nesa?" holais yn felys.

"Paid â bod yn ffŵl," meddai.

"Chdi ydi'r ffŵl," meddwn i'n gryf. "Yn pwdu fel'na!"

"Chdi oedd yn busnesu," meddai.

"Llyncu mul heb eisio wnest ti," meddwn i. "Be 'di'r ots am bimpls?"

Mi fu bron iddo â gwgu eto. Ond doeddwn i ddim am adael iddo wneud.

"Ffrindiau?" meddwn i gan afael yn ei fraich.

Mi oedodd am eiliad cyn gwenu'n gam arna i.

"Ffrindiau," cytunodd. "Tyrd."

Ac mi afaelodd yn feistrolgar yno i a 'nhynnu i ganol y dawnswyr. Dawns araf, ramantus! Roedd Gwyn a Glenda yn dawnsio'n gariadus ac roedd hyd yn oed Mam a Dad wedi mentro i'r llawr.

Ac wedi'r ddawns, mi eisteddon ni law yn llaw wrth un o'r byrddau bach a siarad fel y bydden ni erstalwm. Pan oedden ni'n ffrindiau pennaf ac yn rhannu popeth hefo'n gilydd.

Ac fel roedd y noson yn datblygu, mi gefais i gusan neu ddwy hefyd. Ac roedd o'n gafael amdana i ac yn fy ngwasgu ato'n gyfeillgar … neu'n gariadus, efallai – fedrwn i ddim penderfynu'n iawn! Ond doedd dim mymryn o ots. Roedd fory a drennydd a rhagor o 'mlaen i, a Geraint a finna'n ffrindiau unwaith eto. Hwrê!

Mi fydd bywyd yn grêt!

Kirsty
lvs
Kyle.
4ia

Kirsty